*A la memoria de Carol J. Buckley, estrella luminosa de la Biblioteca de Cornell,
quien siempre tenía un lugar en su corazón para un nuevo amigo.
Te echamos de menos.*

M. K.

Para Priscilla, nuestra bibliotecaria personal.

K. H.

UN LEÓN EN LA BIBLIOTECA

Spanish edition copyright © 2007 by Lectorum Publications, Inc.
First published in English under the title LIBRARY LION
Text copyright © 2006 by Michelle Knudsen
Illustrations copyright © 2006 by Kevin Hawkes
Published by arrangement with Walker Books Limited, London

For information regarding permission, write to Lectorum Publications, Inc.,
557 Broadway, New York, NY 10012.

This book was typeset in New Claredon.
The illustrations were done in acrylic and pencil.

ISBN-10: 1-933032-30-8
ISBN-13: 978-1-933032-30-6

Printed in China

10 9 8 7 6 5 4 3 2 1

Library of Congress Catologing-in-Publication data is available.

Un león en la biblioteca

MICHELLE KNUDSEN

Ilustrado por
KEVIN HAWKES

Traducido por
TERESA MLAWER

LECTORUM
PUBLICATIONS INC.
a subsidiary of Scholastic Inc.
New York

PRÉSTAMO

Cierto día, un león entra en la biblioteca.
Pasa por delante del mostrador de préstamo
y va directo a las estanterías de libros.

El señor McBee corre por el pasillo en dirección a la oficina de la directora:

—¡Señora Buendía! —grita.

—No corra —dice ella sin levantar la vista.

—¡Hay un león! ¡En la biblioteca!

—¿Ha quebrantado alguna regla? —pregunta la señora Buendía, siempre pendiente de que se cumpla el reglamento.

—Bueno, no —contesta el señor McBee—. En realidad, no.

—Entonces, déjelo estar.

El león recorre la biblioteca y olfatea
las fichas de catalogación.

Se frota la melena contra la mesa de las novedades.

Luego se dirige al rincón del cuento y se echa a dormir.

Nadie sabe qué hacer. No hay reglas con respecto a leones en la biblioteca.

Entonces comienza la hora del cuento. Tampoco hay reglas que prohiban la presencia de leones a la hora del cuento.

La bibliotecaria parece nerviosa, pero logra leer el título del libro con voz clara y firme, lo cual llama la atención del león. La bibliotecaria continúa la lectura.

El león se queda para la segunda historia y la siguiente. Espera que haya una cuarta lectura, pero los niños comienzan a retirarse.

–La hora del cuento se ha terminado –le informa una
niña–. Hay que irse a casa.

El león mira a los niños. Mira a la bibliotecaria. Mira
los libros ya cerrados, y entonces emite un gran rugido:

¡GRRRRRRRRRR!

La señora Buendía sale de su oficina:

–¿Quién ha hecho ese ruido? –pregunta.

–El león –contesta el señor McBee.

La señora Buendía se dirige al león y, con voz firme, le dice:

–Si no puedes estar callado, tendrás que marcharte. ¡Son las reglas!

El león continúa rugiendo, pero ahora suena triste.

La niña tira del vestido de la señora Buendía y le pregunta:

–Si promete estar callado, ¿puede venir mañana a la hora del cuento?

El león se calla y mira a la señora Buendía.

La señora Buendía también lo mira y responde:

–Sin duda. Un león amable y tranquilo siempre es bienvenido a la hora del cuento.

–¡Hurra! –gritan los niños a coro.

Al día siguiente, el león regresa.

—Has llegado temprano —le dice la señora Buendía—.
La hora del cuento no comienza hasta las tres de la tarde.

El león no se inmuta.

—Muy bien —dice la señora Buendía—.
Será mejor que eches una mano.

Y le pide que quite el
polvo de las enciclopedias.

Al día siguiente, el león llega temprano de nuevo.
Esta vez, ayuda a la señora Buendía a cerrar los sobres.
Son recordatorios a los lectores de que la fecha de entrega
de los libros ha vencido.

Pronto el león comienza a ayudar sin que se lo pidan. Quita el polvo de las enciclopedias, cierra los sobres con la lengua. Deja que los niños se suban a su lomo para que puedan alcanzar los libros.

Luego se recuesta en su rincón favorito y espera a que llegue la hora del cuento.

Al principio la gente de la biblioteca está nerviosa, pero pronto se acostumbran a su presencia. De hecho ahora es como si el león formara parte de la biblioteca.

Sus grandes patas se mueven silenciosamente por los pasillos y su enorme lomo sirve de respaldo a los niños durante la hora del cuento. Y nunca, nunca más se ha escuchado un rugido suyo.

—¡Qué león más servicial! —comenta la gente.

Pasándole la mano por la melena, se preguntan:

—¿Cómo nos las hemos arreglado hasta ahora sin él?

El señor McBee refunfuña cuando escucha estas cosas. "Siempre nos las hemos arreglado bien sin necesidad de leones", piensa. "Los leones", sigue pensando, "no entienden de reglas. Una biblioteca no es lugar para un león".

Un día, después de quitar el polvo, cerrar los sobres y ayudar a los niños, el león se dirige con paso lento a la oficina de la señora Buendía para ver qué más hay que hacer. Todavía falta un poco para la hora del cuento.

–Hola, León –le dice la señora Buendía–. Necesito que, por favor, coloques este libro en su estantería. Espera un momento que lo alcance…

La señora Buendía se sube a una banqueta, pero no alcanza el libro.

Se empina sobre la punta de los pies y estira el brazo lo más posible.

–Casi… casi… –dice.

Pero entonces la señora Buendía se inclina demasiado y…

—¡Ayyy! —exclama la señora Buendía bajito, sin poder levantarse.

—¡Señor McBee! —llama la señora Buendía—. ¡Señor McBee!

Pero el señor McBee no la oye porque está atendiendo los préstamos.

—León, por favor, ve a buscar al señor McBee —le pide ella.

El león sale corriendo por el pasillo.

—No corras —le dice la señora Buendía.

El león pone las garras sobre el escritorio del señor McBee y lo mira fijamente.

–Vete, León –le dice–. Estoy muy ocupado.

El león gimotea, y señala con el hocico en dirección a la oficina de la señora Buendía.

El señor McBee no le presta atención.

Entonces el león hace lo único que puede hacer: mira al señor McBee directamente a los ojos, abre su enorme boca y lanza el rugido más tremendo de toda su vida.

Impresionado, el señor McBee grita:

—¡Estás rugiendo! ¡No se ruge en la biblioteca!

Y el señor McBee sale corriendo por el pasillo.

El león no lo sigue. Sabe que no ha respetado las reglas y sabe perfectamente lo que eso significa. Baja la cabeza y se dirige a la puerta.

El señor McBee no se da cuenta.

—¡Señora Buendía! —dice mientras camina—. ¡Señora Buendía! ¡El león ha quebrantado las reglas! ¡El león ha quebrantado las reglas!

Entra en la oficina de la señora Buendía
y no la ve.

No está sentada ante su escritorio.

—¿Señora Buendía? —pregunta.

—A veces —dice la señora Buendía, detrás
del escritorio—, hay una buena razón para
quebrantar las reglas. Por favor, llame al
médico. Creo que me he roto el brazo.

El señor McBee sale corriendo a llamar
al médico.

—¡No corra! —le recuerda la señora Buendía.

Al día siguiente, las cosas vuelven a la normalidad. Casi.

A la señora Buendía le han enyesado el brazo izquierdo. El médico le ha recomendado que no trabaje mucho.

"Vendrá León a ayudarme", piensa la señora Buendía. Pero el león no aparece por la biblioteca.

A las tres en punto la señora Buendía se dirige al rincón del cuento. La bibliotecaria comienza a leerles una historia a los niños, pero el león no está allí.

Todo el mundo en la biblioteca alza la vista
de los libros o de las computadoras esperando
ver la cara melenuda del león.

Pero el león no llega. Ni al día siguiente,
ni al otro.

Una noche, antes de marcharse a casa, el señor McBee se detiene en la oficina de la señora Buendía.

—¿Puedo ayudarla en algo antes de irme? —le pregunta.

—No, gracias —le contesta ella, mirando por

la ventana. Y lo dice muy bajito, incluso para estar en una biblioteca.

El señor McBee frunce el ceño y se marcha. Piensa que hay algo que él puede hacer para ayudar a la señora Buendía.

El señor McBee sale de la biblioteca, pero no se va a casa.

Recorre todo el vecindario. Busca debajo de los autos.
Busca entre los matorrales.

Busca en todos los patios, entre los cubos de basura
y en las casas de los árboles.

Finalmente, da una vuelta completa y regresa a la biblioteca.

Encuentra al león sentado fuera mirando a través de las puertas de cristal.

—Hola, León —lo saluda el señor McBee.

Pero el león no se da la vuelta.

—Creo que te gustará saber que tenemos una nueva regla en la biblioteca. No se permite rugir a menos que exista una buena razón, como, por ejemplo, ayudar a una persona que se ha lastimado.

Las orejas del león se ponen tiesas: escucha atentamente. Se da la vuelta.

Pero el señor McBee ya se aleja.

Al día siguiente, el señor McBee camina por el pasillo en dirección a la oficina de la señora Buendía.

—¿Ocurre algo, señor McBee? —pregunta ella.

—No. Solamente quería decirle que hay un león en la biblioteca.

La señora Buendía se levanta de un salto y sale corriendo por el pasillo.

El señor McBee sonríe y le dice:

—¡No corra!

Pero la señora Buendía no lo escucha.

A veces hay una buena razón
para no seguir las reglas.
Incluso en la biblioteca.